Publicado por Parragon en 2013
Parragon Books Ltd
Chartist House
15-17 Trim Street
Bath BA1 1HA, Reino Unido
www.parragon.com

Texto: David Bedford
Ilustraciones: Brenna Vaughan y Henry St. Leger
Edición: Laura Baker
Diseño: Ailsa Cullen
Producción: Rob Simenton

Traducción: Míriam Torras para Delivering iBooks & Design, Barcelona
Redacción y maquetación: Delivering iBooks & Design

ISBN 978-1-4723-1803-9
Printed in China/Impreso en China

Quiero a mi abuelo

PaRragon

Bath·New York·Singapore·Hong Kong·Cologne·Delhi
Melbourne·Amsterdam·Johannesburg·Shenzhen

Una tarde soleada, Osito se fue
a pasear por la orilla del río con su abuelo.

—¿Quieres que nos bañemos, Osito?

Osito negó con la cabeza.
—No me gusta el agua, abuelo —le contestó.
—Metamos solo una pata —dijo el abuelo— y veamos si te gusta…

Su abuelo metió una pata
dentro del agua.
—¡Ah! —exclamó—.
¡Qué buena está!

Osito solo metió la punta de su patita y comenzó a reír.

—¡El agua hace cosquillas! —dijo.

A continuación metió el resto de la pata y la movió.

—¡Yuhuuu!

El abuelo de Osito
metió las dos patas.

Y Osito hizo lo mismo.

Luego Osito metió sus cuatro
patitas en el agua fría.

—¡Muy bien, Osito!
—lo felicitó su abuelo.

—¡Estás caminando!
¿Estás listo para salpicar?

Osito pataleaba, salpicando
y haciendo

¡chip-chap-chap!

¡chip-chap-chap!

cuando, de pronto...

¡Chof!

¡El abuelo saltó al agua y
salpicó a Osito!

—¡Yupiii! —gritó Osito.

—¿Quieres que ahora nademos,
Osito? —le preguntó su abuelo.

Osito negó con la cabeza.

—¡No sé nadar, abuelo! —respondió.

—Entonces flotemos —le dijo
su abuelo— y veamos qué te parece.
Te ayudaré.

Cuando Osito sintió que su abuelo lo sostenía,
levantó las patitas una a una, hasta que…

—¡Estás flotando!
—le dijo su abuelo—. ¿Y qué te parece
si ahora salpicamos un poco más?

Osito pataleó,
volviendo a hacer

¡chip-chap!

Y de pronto...

—¡Estás nadando,
Osito! —exclamó su abuelo.

—¡Nada, Osito, nada!

Osito nadó alrededor de
su abuelo una y otra vez.

—Eres el mejor osito nadador del mundo

—le dijo su abuelo, orgulloso de él.

A la hora de irse, el abuelo
de Osito lo ayudó a salir
del agua.

Entonces los dos **se movieron** y **sacudieron** para secarse, salpicando con gotitas de agua todo a su alrededor.

—¡Estamos haciendo un arcoíris! —rio Osito.

El abuelo de Osito le dio
un cálido abrazo.
—¿Ahora te gusta el agua, Osito?
—le preguntó sonriendo.

Osito sonreía de oreja a oreja.
—¡Me encanta el agua!
—exclamó feliz—. ¡Y yo…

quiero a mi abuelo!